JESUS SUBIU ATÉ UM MONTE COM OS DISCÍPULOS E LÁ SE SENTOU COM TODOS ELES, DIANTE DA GRANDE MULTIDÃO. NESSA ÉPOCA, ESTAVA PRÓXIMA A CELEBRAÇÃO DA PÁSCOA DOS JUDEUS.

JESUS OLHOU PARA A MULTIDÃO QUE O SEGUIA E SENTIU COMPAIXÃO DELA. ELE JÁ SABIA O QUE FAZER, MAS PERGUNTOU A FILIPE, UM DE SEUS DISCÍPULOS, COMO FARIAM PARA ALIMENTAR TODAS AQUELAS PESSOAS.

FILIPE RESPONDEU A JESUS QUE NEM DUZENTOS DENÁRIOS SERIAM SUFICIENTES PARA QUE CADA UMA DAQUELAS PESSOAS RECEBESSE UM PEDAÇO DE PÃO. O DENÁRIO ERA UM TIPO DE MOEDA DA ÉPOCA.

ANDRÉ, OUTRO DISCÍPULO DE JESUS, AVISOU AO MESTRE QUE UM MENINO ALI PRESENTE TINHA CONSIGO CINCO PÃES DE CEVADA E DOIS PEIXES, MAS QUE ISSO ERA BEM POUCO PARA ALIMENTAR TANTA GENTE.

JESUS PEGOU OS PÃES E AGRADECEU A DEUS. EM SEGUIDA, DISTRIBUIU-OS ENTRE AS PESSOAS QUE ESTAVAM ALI, E FEZ O MESMO COM OS PEIXES.

QUANDO TODOS ESTAVAM SATISFEITOS, JESUS PEDIU AOS DISCÍPULOS QUE RECOLHESSEM O ALIMENTO QUE HAVIA SOBRADO, PARA QUE NADA FOSSE DESPERDIÇADO.

OS DISCÍPULOS FIZERAM COMO JESUS PEDIU E, ASSIM, CONSEGUIRAM ENCHER DOZE CESTOS COM OS PEDAÇOS DE PÃES DE CEVADA QUE SOBRARAM!